Pour Nicoletta, Fiorenza,
Marisa, Erika et Anna.
C.V.

Dans la même collection
coup de cœur d'ailleurs

Poisson et Chat (L'Australie)
Joan Grant et Neil Curtis

Bébé lézard, bébé bizarre (La Corée)
Hye-sook Kang

Titre original : *Chissadove*
La première édition de ce livre a été publiée en Italie par ZOOlibri en 2009.
Texte et illustrations © ZOOlibri - Reggio Emilia - Italie - Tous droits réservés

© Rue du monde, 2009, pour l'édition française
Direction éditoriale et artistique : Alain Serres
ISBN : 978-2-35504-063-4

Ce livre est imprimé sur du papier Condat mat Périgord,
issu de forêts gérées durablement, correspondant aux normes suivantes :
ECF (Elemental Chlorine Free), sans acide à longue durée de vie,
conforme aux exigences européennes concernant la teneur
en métaux lourds (98/638 CE), recyclable et biodégradable.

Achevé d'imprimer en mars 2009 sur les presses
de l'imprimerie Clerc à Saint-Amand-Montrond (18) - France

Dépôt légal : mars 2009

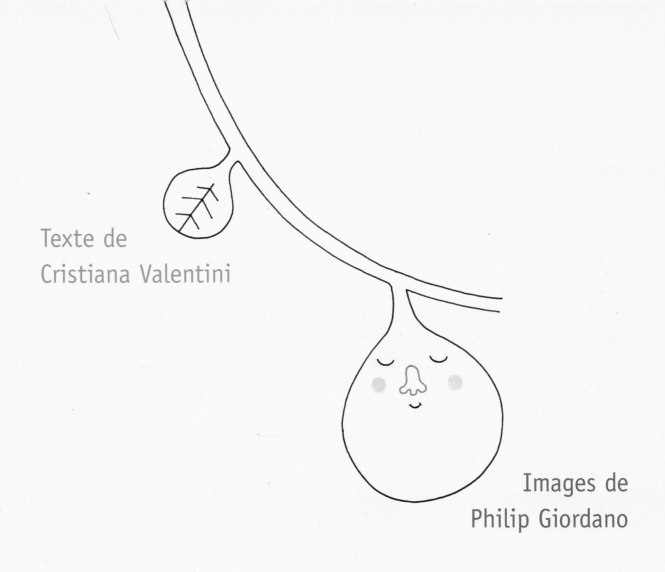

Texte de
Cristiana Valentini

Images de
Philip Giordano

Un jour encore

Traduit et adapté de l'italien par
Corinne Giardi et Alain Serres

coup de cœur d'ailleurs L'ITALIE

¡RUE¡DU¡MONDE¡

Au sommet de la colline, il y a un arbre
au tronc tout droit couleur de cendres,
recouvert d'un beau feuillage épais tout-vert-tout-vert.
Ses fleurs ont donné des fruits qui ont donné des graines...
qui grandissent aujourd'hui, silencieuses
et impatientes de devenir, à leur tour, un arbre.
Et de savoir enfin parler !

Parler pour dire « bonjour », « bonsoir », ou même,
sans trébucher, « la-vie-va-vient-vole-s'en-va-et-s'envole ».
Mais cette phrase-là, toutes les graines
n'y parviendront peut-être pas !

Par un beau jour de printemps,
le vent est arrivé, caressant
chaque feuille, chaque branche.
Et l'arbre a dit « au revoir » à chacune des petites graines
qui ont commencé ce jour-là leur long voyage pour Qui-sait-où.
Dans l'espoir de devenir un arbre, l'une des graines
s'est envolée vers la chaleur du Sud.
Une autre, vers la fraîcheur du Nord.
Une autre encore s'est posée tout-près-tout-près,
dans un pot en terre, sur le balcon d'une maison voisine.
Une autre graine, enfin, est partie très-loin-très-loin,
peut-être sur le chemin de Qui-sait-où...

– Oh ! Mais que fais-tu ici ? s'écrie soudain l'arbre
en apercevant une petite graine agrippée à son feuillage.
Si tu ne te dépêches pas, tu vas rater le vent du printemps !
La petite graine ne bouge pas.
– Allez ! File rejoindre tes copains !
La petite graine reste cramponnée à sa branche.

Pour l'encourager, l'arbre voudrait bien
lui indiquer la route, mais lui-même hésite :
« C'est par ici ou par là ?
Par au-dessus ou par en dessous ?
Quelle est donc la route qui mène à Qui-sait-où ? »

Comment savoir ?
Tout autour, des prairies à perte de vue,
pas même un tronc où poser un chapeau !
Il y a bien très-loin-très-loin
un petit coin parfaitement vert...
Mais comme l'arbre au cœur tendre
n'est plus certain que le chemin
de Qui-sait-où passe par là, et qu'il préfère
surtout ne pas rester seul sur sa colline,
il dit à la petite graine :
– Bon, d'accord, tu restes encore avec moi,
mais rien qu'un jour !

Le jour d'après, l'arbre au cœur tendre
scrute l'horizon. En voyant s'approcher
toute une troupe de nuages danseurs,
il dit à la petite graine :
– Il va bientôt pleuvoir !
Et de ses grandes feuilles, il la protège
du tambourinement des premières gouttes.
Puis, fier de lui, l'arbre demande
à la petite graine :
– Es-tu bien, là, à l'abri de la pluie ?
Avant d'ajouter :
– Alors tu peux rester un autre jour encore !

Le ballet des nuages dure depuis
toute une semaine quand arrive enfin
une journée de grand beau temps.
Protégeant aussitôt la petite graine
des rayons du soleil, l'arbre lui lance :
– Il serait imprudent de partir
par un soleil qui tape aussi fort-fort
sans un chapeau sur la tête, n'est-ce pas ?

Et comme elle n'a pas de chapeau,
la petite graine renonce à partir.
Et l'arbre ajoute :
– Bon, d'accord, tu restes un jour encore,
mais c'est tout !

Les jours de grand vent,
l'arbre berce la petite graine
en murmurant :
– Il serait déraisonnable de partir
par un tel vent sans un pull, n'est-ce pas ?
Et la petite graine, qui n'a jamais eu
ni pull ni chemise, renonce une nouvelle fois
à partir. L'arbre précise alors :
– Je te garde auprès de moi,
mais seulement un jour encore...

... seulement un jour encore !
... seulement un jour encore ! ... seulement un jour...

C'est ainsi que la petite graine n'a pu apprendre
ni à parler, ni à oser s'envoler.
Mais elle n'est pas malheureuse pour autant !
Au contraire, elle est tellement contente
de ne pas aller se perdre dans ce pays inconnu
de Qui-sait-où !

L'arbre insiste :
– Pour voyager, il faut des chaussures, n'est-ce pas ?
Et comme la petite graine ne possède
ni pieds ni chaussettes,
elle renonce encore à partir.

– Pour voyager, il faut aussi une valise, n'est-ce pas ?
Et comme la petite graine n'a ni chapeau ni chaussettes
ni pull ni chemise à glisser dans une valise,
elle renonce encore à partir...

Du reste, comment aurait-elle fait
pour soulever une valise ?
La petite graine
n'a pas davantage de mains !

« Mieux vaut qu'elle demeure
une toute petite graine ici, plutôt que
de devenir qui-sait-quoi tout là-bas ! »
L'arbre se fait une raison
et, comme il a de plus en plus peur
que sa petite graine aille se perdre Qui-sait-où,
il veille sur elle durant toutes les nuits,
la protégeant de la lumière de la lune
et des étoiles.
– Dors, dors, lui répète-t-il,
mais seulement une nuit encore...

... seulement une nuit encore !
... seulement une nuit encore ! ... seulement une nuit...

Un matin d'automne, l'arbre, épuisé,
tarde à se réveiller et ronfle bruyamment.
Dans ses branches, une pie saute,
de feuille en feuille, à la recherche de nourriture.
Brusquement, elle saisit la petite graine et s'envole.
Elle disparaît dans le plus grand des silences
parce que, comme chacun le sait, les petites graines
ne connaissent pas les lettres de S.O.S.
et encore moins celles de « AU SECOURS » !

Réveillé en sursaut, l'arbre tente aussitôt
d'attraper l'oiseau. Mais, à travers les branches,
il ne parvient à retenir que... quelques plumes !

La pie a été si rapide que,
dans son envol,
elle a laissé tomber
la petite graine,
qui roule, roule...
roule vers Qui-sait-où !

À la saison suivante revient le vent.
Et l'arbre, par ce beau jour de printemps, dit « au revoir »
à toutes les nouvelles petites graines qui recouvrent ses branches.
– Au revoir, au revoir, au revoir !
Et les nouvelles petites graines
s'envolent toutes vers Qui-sait-où
pour, à leur tour,
devenir des arbres.
Et savoir enfin parler.

Les mois du vent, du soleil, de l'automne se succèdent
et se succèdent encore, quand un jour,
sur l'autre versant de la colline, l'arbre voit émerger...

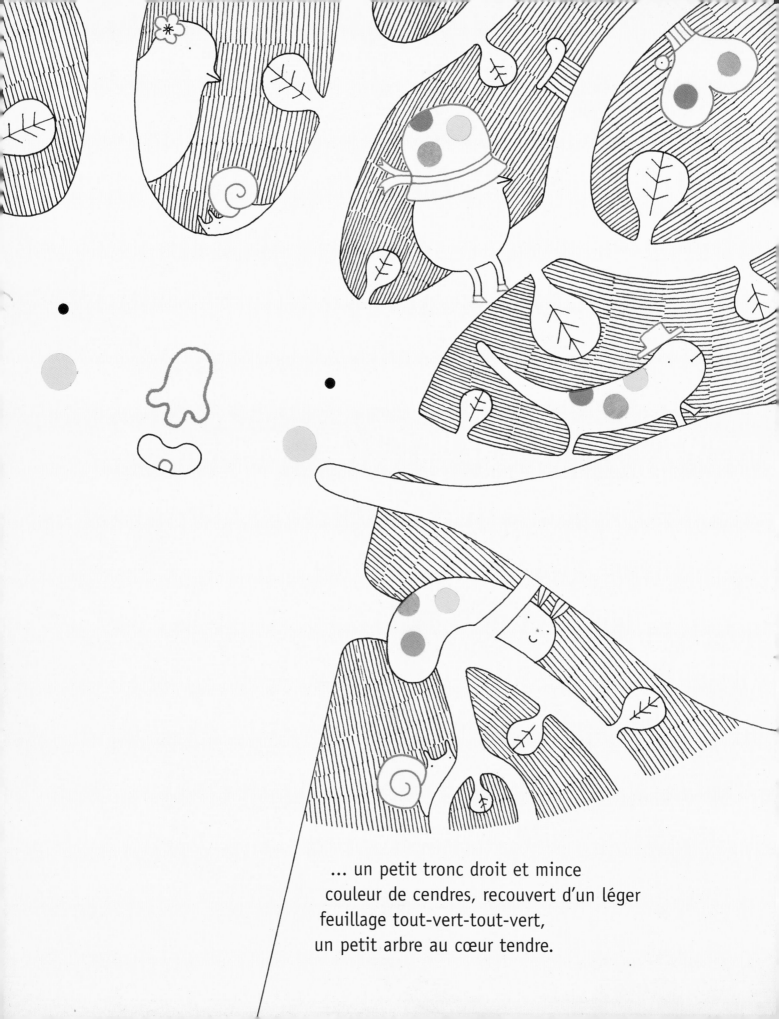

... un petit tronc droit et mince
couleur de cendres, recouvert d'un léger
feuillage tout-vert-tout-vert,
un petit arbre au cœur tendre.

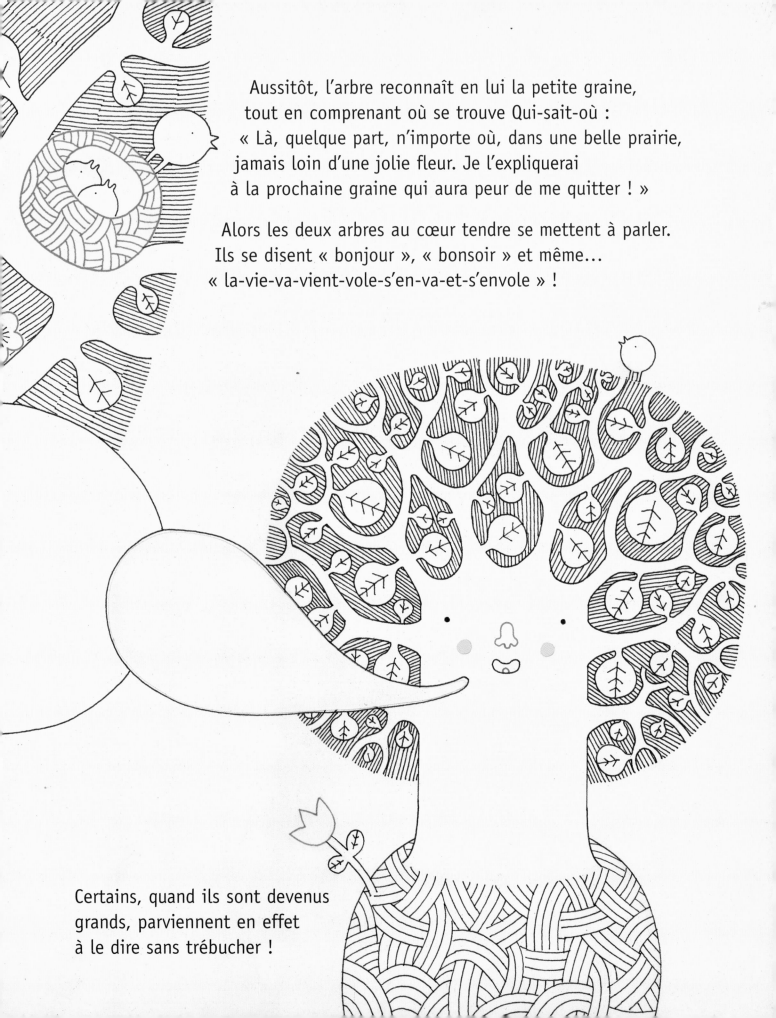

Aussitôt, l'arbre reconnaît en lui la petite graine,
tout en comprenant où se trouve Qui-sait-où :
« Là, quelque part, n'importe où, dans une belle prairie,
jamais loin d'une jolie fleur. Je l'expliquerai
à la prochaine graine qui aura peur de me quitter ! »

Alors les deux arbres au cœur tendre se mettent à parler.
Ils se disent « bonjour », « bonsoir » et même...
« la-vie-va-vient-vole-s'en-va-et-s'envole » !

Certains, quand ils sont devenus
grands, parviennent en effet
à le dire sans trébucher !